齐心开创共建“一带一路”美好未来

——在第二届“一带一路”国际合作高峰论坛开幕式上的主旨演讲

（2019年4月26日）

习　近　平

人　民　出　版　社

齐心开创共建“一带一路”美好未来

——在第二届“一带一路”国际合作高峰论坛开幕式上的主旨演讲

（2019年4月26日）

习　近　平

尊敬的各位国家元首，政府首脑，

各位高级代表，

各位国际组织负责人，

女士们，先生们，朋友们：

上午好！“春秋多佳日，登高赋新诗。”在这个春意盎然的美好时节，我很高兴同各位嘉宾一道，共同出席第二届“一带一路”国际合作高峰论坛。首先，我谨代表中国政府和中国人民，并以我个人的名义，对各位来宾表示热烈的欢迎！

两年前，我们在这里举行首届高峰论坛，规划政策沟通、设施联通、贸易畅通、资金融通、民心相通的合作蓝图。今天，来自世界各地的朋友再次聚首。我期待着同大家一起，登高望远，携手前行，共同开创共建“一带一路”的美好未来。

同事们、朋友们！

共建“一带一路”倡议，目的是聚焦互联互通，深化务实合作，携手应对人类面临的各种风险挑战，实现互利共赢、共同发展。在各方共同努力下，“六廊六路多国多港”的互联互通架构基本形成，一大批合作项目落地生根，首届高峰论坛的各项成果顺利落实，150多个国家和国际组织同中国签署共建“一带一路”合作协议。共建“一带一路”倡议同联合国、东盟、非盟、欧盟、欧亚经济联盟等国际和地区组织的发展和合作规划对接，同各国发展战略对接。从亚欧大陆到非洲、美洲、大洋洲，共建“一带一路”为世界经济增长开辟了新空间，为国际贸易和投资搭建了新平台，为完善全球经济治理拓展了新实践，为增进各国民生福祉作出了新贡献，成为共同的机遇之路、繁荣之路。事实证明，共建“一带一路”不仅为世界各国发展提供了新机遇，也为中国开放发展开辟了新天地。

中国古人说：“万物得其本者生，百事得其道者成。”共建“一带一路”，顺应经济全球化的历史潮流，顺应全球治理体系变革的时代要求，顺应各国人民过上更好日子的强烈愿望。面向未来，我们要聚焦重点、深耕细作，共同绘制精谨细腻的“工笔画”，推动共建“一带一路”沿着高质量发展方向不断前进。

——我们要秉持共商共建共享原则，倡导多边主义，大家的事大家商量着办，推动各方各施所长、各尽所能，通过双边合作、三方合作、多边合作等各种形式，把大家的优势和潜能充分发挥出来，聚沙成塔、积水成渊。

——我们要坚持开放、绿色、廉洁理念，不搞封闭排他的小圈子，把绿色作为底色，推动绿色基础设施建设、绿色投资、绿色金融，保护好我们赖以生存的共同家园，坚持一切合作都在阳光下运作，共同以零容忍态度打击腐败。我们发起了《廉洁丝绸之路北京倡议》，愿同各方共建风清气正的丝绸之路。

——我们要努力实现高标准、惠民生、可持续目标，引入各方普遍支持的规则标准，推动企业在项目建设、运营、采购、招投标等环节按照普遍接受的国际规则标准进行，同时要尊重各国法律法规。要坚持以人民为中心的发展思想，聚焦消除贫困、增加就业、改善民生，让共建“一带一路”成果更好惠及全体人民，为当地经济社会发展作出实实在在的贡献，同时确保商业和财政上的可持续性，做到善始善终、善作善成。

同事们、朋友们！

共建“一带一路”，关键是互联互通。我们应该构建全球互联互通伙伴关系，实现共同发展繁荣。我相信，只要大家齐心协力、守望相助，即使相隔万水千山，也一定能够走出一条互利共赢的康庄大道。

基础设施是互联互通的基石，也是许多国家发展面临的瓶颈。建设高质量、可持续、抗风险、价格合理、包容可及的基础设施，有利于各国充分发挥资源禀赋，更好融入全球供应链、产业链、价值链，实现联动发展。中国将同各方继续努力，构建以新亚欧大陆桥等经济走廊为引领，以中欧班列、陆海新通道等大通道和信息高速路为骨架，以铁路、港口、管网等为依托的互联互通网络。我们将继续发挥共建“一带一路”专项贷款、丝路基金、各类专项投资基金的作用，发展丝路主题债券，支持多边开发融资合作中心有效运作。我们欢迎多边和各国金融机构参与共建“一带一路”投融资，鼓励开展第三方市场合作，通过多方参与实现共同受益的目标。

商品、资金、技术、人员流通,可以为经济增长提供强劲动力和广阔空间。“河海不择细流,故能就其深。”如果人为阻断江河的流入,再大的海,迟早都有干涸的一天。我们要促进贸易和投资自由化便利化,旗帜鲜明反对保护主义,推动经济全球化朝着更加开放、包容、普惠、平衡、共赢的方向发展。我们将同更多国家商签高标准自由贸易协定,加强海关、税收、审计监管等领域合作,建立共建“一带一路”税收征管合作机制,加快推广“经认证的经营者”国际互认合作。我们还制定了《“一带一路”融资指导原则》,发布了《“一带一路”债务可持续性分析框架》,为共建“一带一路”融资合作提供指南。中方今年将举办第二届中国国际进口博览会,为各方进入中国市场搭建更广阔平台。

创新就是生产力,企业赖之以强,国家赖之以盛。我们要顺应第四次工业革命发展趋势,共同把握数字化、网络化、智能化发展机遇,共同探索新技术、新业态、新模式,探寻新的增长动能和发展路径,建设数字丝绸之路、创新丝绸之路。中国将继续实施共建“一带一路”科技创新行动计划,同各方一道推进科技人文交流、共建联合实验室、科技园区合作、技术转移四大举措。我们将积极实施创新人才交流项目，未来5年支持5000人次中外方创新人才开展交流、培训、合作研究。我们还将支持各国企业合作推进信息通信基础设施建设，提升网络互联互通水平。

发展不平衡是当今世界最大的不平衡。在共建“一带一路”过程中，要始终从发展的视角看问题，将可持续发展理念融入项目选择、实施、管理的方方面面。我们要致力于加强国际发展合作，为发展中国家营造更多发展机遇和空间，帮助他们摆脱贫困，实现可持续发展。为此，我们同各方共建“一带一路”可持续城市联盟、绿色发展国际联盟，制定《“一带一路”绿色投资原则》，发起“关爱儿童、共享发展，促进可持续发展目标实现”合作倡议。我们启动共建“一带一路”生态环保大数据服务平台，将继续实施绿色丝路使者计划，并同有关国家一道，实施“一带一路”应对气候变化南南合作计划。我们还将深化农业、卫生、减灾、水资源等领域合作，同联合国在发展领域加强合作，努力缩小发展差距。

我们要积极架设不同文明互学互鉴的桥梁，深入开展教育、科学、文化、体育、旅游、卫生、考古等各领域人文合作，加强议会、政党、民间组织往来，密切妇女、青年、残疾人等群体交流，形成多元互动的人文交流格局。未来5年，中国将邀请共建“一带一路”国家的政党、智库、民间组织等1万名代表来华交流。我们将鼓励和支持沿线国家社会组织广泛开展民生合作，联合开展一系列环保、反腐败等领域培训项目，深化各领域人力资源开发合作。我们将持续实施“丝绸之路”中国政府奖学金项目，举办“一带一路”青年创意与遗产论坛、青年学生“汉语桥”夏令营等活动。我们还将设立共建“一带一路”国际智库合作委员会、新闻合作联盟等机制，汇聚各方智慧和力量。

同事们、朋友们！

今年是中华人民共和国成立70周年。70年前，中国人民历经几代人上下求索，终于在中国共产党领导下建立了新中国，中国人民从此站了起来，中国人民的命运从此掌握在了自己手中。

历经70年艰苦奋斗，中国人民立足本国国情，在实践中不断探索前进方向，开辟了中国特色社会主义道路。今天的中国，已经站在新的历史起点上。我们深知，尽管成就辉煌，但前方还有一座座山峰需要翻越，还有一个个险滩等待跋涉。我们将继续沿着中国特色社会主义道路大步向前，坚持全面深化改革，坚持高质量发展，坚持扩大对外开放，坚持走和平发展道路，推动构建人类命运共同体。

下一步，中国将采取一系列重大改革开放举措，加强制度性、结构性安排，促进更高水平对外开放。

第一，更广领域扩大外资市场准入。公平竞争能够提高效率、带来繁荣。中国已实施准入前国民待遇加负面清单管理模式，未来将继续大幅缩减负面清单，推动现代服务业、制造业、农业全方位对外开放，并在更多领域允许外资控股或独资经营。我们将新布局一批自由贸易试验区，加快探索建设自由贸易港。我们将加快制定配套法规，确保严格实施《外商投资法》。我们将以公平竞争、开放合作推动国内供给侧结构性改革，有效淘汰落后和过剩产能，提高供给体系质量和效率。

第二，更大力度加强知识产权保护国际合作。没有创新就没有进步。加强知识产权保护，不仅是维护内外资企业合法权益的需要，更是推进创新型国家建设、推动高质量发展的内在要求。中国将着力营造尊重知识价值的营商环境，全面完善知识产权保护法律体系，大力强化执法，加强对外国知识产权人合法权益的保护，杜绝强制技术转让，完善商业秘密保护，依法严厉打击知识产权侵权行为。中国愿同世界各国加强知识产权保护合作，创造良好创新生态环境，推动同各国在市场化法治化原则基础上开展技术交流合作。

第三，更大规模增加商品和服务进口。中国既是“世界工厂”，也是“世界市场”。中国有世界上规模最大、成长最快的中等收入群体，消费增长潜力巨大。为满足人民日益增长的物质文化生活需要，增加消费者选择和福利，我们将进一步降低关税水平，消除各种非关税壁垒，不断开大中国市场大门，欢迎来自世界各国的高质量产品。我们不刻意追求贸易顺差，愿意进口更多国外有竞争力的优质农产品、制成品和服务，促进贸易平衡发展。

第四，更加有效实施国际宏观经济政策协调。全球化的经济需要全球化的治理。中国将加强同世界各主要经济体的宏观政策协调，努力创造正面外溢效应，共同促进世界经济强劲、可持续、平衡、包容增长。中国不搞以邻为壑的汇率贬值，将不断完善人民币汇率形成机制，使市场在资源配置中起决定性作用，保持人民币汇率在合理均衡水平上的基本稳定，促进世界经济稳定。规则和信用是国际治理体系有效运转的基石,也是国际经贸关系发展的前提。中国积极支持和参与世贸组织改革,共同构建更高水平的国际经贸规则。

第五,更加重视对外开放政策贯彻落实。中国人历来讲求"一诺千金"。我们高度重视履行同各国达成的多边和双边经贸协议,加强法治政府、诚信政府建设,建立有约束的国际协议履约执行机制,按照扩大开放的需要修改完善法律法规,在行政许可、市场监管等方面规范各级政府行为,清理废除妨碍公平竞争、扭曲市场的不合理规定、补贴和做法,公平对待所有企业和经营者,完善市场化、法治化、便利化的营商环境。

中国扩大开放的举措,是根据中国改革发展客观需要作出的自主选择,这有利于推动经济高质量发展,有利于满足人民对美好生活的向往,有利于世界和平、稳定、发展。我们也希望世界各国创造良好投资环境,平等对待中国企业、留学生和学者,为他们正常开展国际交流合作活动提供公平友善的环境。我们坚信,一个更加开放的中国,将同世界形成更加良性的互动,带来更加进步和繁荣的中国和世界。

同事们、朋友们！

让我们携起手来，一起播撒合作的种子，共同收获发展的果实，让各国人民更加幸福，让世界更加美好！

祝本次高峰论坛圆满成功！

谢谢大家。

图书在版编目(CIP)数据

齐心开创共建"一带一路"美好未来:在第二届"一带一路"国际合作高峰论坛开幕式上的主旨演讲/习近平 著. —北京:人民出版社,2019.5

ISBN 978-7-01-020813-8

Ⅰ.①齐… Ⅱ.①习… Ⅲ.①习近平-讲话-学习参考资料 ②"一带一路"-国际合作-研究 Ⅳ.①D2-0②F125

中国版本图书馆 CIP 数据核字(2019)第 087420 号

(RMC-ZJDXI-075-20190426)

齐心开创共建"一带一路"美好未来

QIXIN KAICHUANG GONGJIAN YIDAIYILU MEIHAO WEILAI

——在第二届"一带一路"国际合作高峰论坛开幕式上的主旨演讲

(2019 年 4 月 26 日)

习 近 平

人民出版社 出版发行

(100706 北京市东城区隆福寺街 99 号)

北京新华印刷有限公司印刷 新华书店经销

2019 年 5 月第 1 版 2019 年 5 月北京第 1 次印刷

开本:880 毫米×1230 毫米 1/32 印张:0.5

字数:8 千字

ISBN 978-7-01-020813-8 定价:2.00 元

邮购地址 100706 北京市东城区隆福寺街 99 号

人民东方图书销售中心 电话 (010)65250042 65289539